D'après Jim Davis

Novélisation : Arnaud Huber
Conception graphique : Valérie Gibert et Philippe Sedletzki

Hachette Livre, 43 quai de Grenelle, 75015 Paris.

D'après Jim Davis

# GARFIELD & Cie

## L'ATTAQUE DES LASAGNES

hachette JEUNESSE

LA PARESSE, ÇA CREUSE. CE N'EST DONC
PAS DE SA FAUTE SI GARFIELD EST LE CHAT
LE PLUS FAINÉANT ET LE PLUS GLOUTON DE
L'UNIVERS. D'APRÈS LUI, IL EST AUSSI LE
PLUS INTELLIGENT. LA PREUVE ? IL PARLE !
SURTOUT DE LUI. ÇA TOMBE BIEN : IL LUI
ARRIVE TELLEMENT D'AVENTURES, QU'IL
VALAIT MIEUX QU'IL PUISSE VOUS LES
RACONTER...

# MOI, GARFIELD

MA DEVISE DANS LA VIE, C'EST "MOI D'ABORD !"
ON PEUT LE DIRE, JE SUIS UN GROS ÉGOÏSTE.
ENFIN, DISONS QUE JE NE PENSE QU'À MANGER
(DES LASAGNES) ET À DORMIR (LE PLUS LONGTEMPS
POSSIBLE). POUR ENTRETENIR MON BEAU PELAGE
ORANGE RAYÉ NOIR, JE FAIS AUSSI UN PEU D'EXERCICE :
JE REGARDE LA TÉLÉVISION... ET MÊME SI AU FOND JE
LES AIME BIEN (MAIS NE LE RÉPÉTEZ PAS, J'AI UNE
RÉPUTATION DE CHAT MÉCHANT À TENIR), J'ADORE
TAQUINER MON MAÎTRE ET SON CHIEN...

## JON

CE QUE J'APPRÉCIE CHEZ MON MAÎTRE, C'EST QU'IL EST PLUTÔT CALME. CE QUE J'AIME MOINS, C'EST QU'IL N'A PAS DE PETITE AMIE. DU COUP, IL PASSE UN PEU TROP DE TEMPS À LA MAISON. IL Y A BIEN LIZ, MAIS IL FAUDRAIT QUE ÇA DEVIENNE UN PEU PLUS SÉRIEUX POUR AVOIR LA PAIX...

## ODIE

SI JE SUIS LE CHAT LE PLUS INTELLIGENT AU MONDE, ODIE EST SANS AUCUN DOUTE LE CHIEN LE MOINS FUTÉ. J'EN PROFITE POUR L'EMBÊTER. QUI AIME BIEN CHÂTIE BIEN ! MAIS SON VRAI PROBLÈME, C'EST QU'IL NE SAIT PAS PARLER. DU COUP, IL PASSE SON TEMPS À FAIRE DES CÂLINS BAVEUX AVEC SA LANGUE. ET ÇA, C'EST DÉGOÛTANT.

## LIZ

MON MAÎTRE, JON, EST AMOUREUX DE LIZ. C'EST NOTRE VÉTÉRINAIRE, À MOI ET À ODIE. ELLE EST SYMPA. SAUF QUAND ELLE NOUS FAIT DES PIQÛRES POUR NOS VACCINS. MAIS PARCE QU'ELLE POURRAIT ME DÉBARRASSER DE JON UN PEU PLUS SOUVENT, JE SUIS PRÊT À JOUER LES CHATS MODÈLES POUR LUI PLAIRE...

## SQUEEK

LES SOURIS ET MOI, C'EST UNE LONGUE HISTOIRE. JE FAIS SEMBLANT DE LES CHASSER POUR QUE JON CONTINUE DE ME NOURRIR MAIS EN MANGER, BEURK ! MÊME PAS EN RÊVE... IL Y EN A QUAND MÊME UNE QUI VIT À LA MAISON. JE L'AI APPELÉE SQUEEK. C'EST UN BON COPAIN. ET IL EST PRESQUE AUSSI MALIN QUE MOI. J'AI DIT "PRESQUE".

# UN GRAND JOUR

Ce matin, je me suis levé avant tout le monde. Ne vous inquiétez pas, je ne suis pas tombé sur la tête. Et je suis encore moins devenu un lève-tôt. Ce serait aussi abominable que de perdre l'appétit... Si je me suis levé aux aurores, c'est parce qu'aujourd'hui est un grand jour : aujourd'hui, c'est mon anniversaire.

Jon a plutôt intérêt à ne pas l'avoir oublié. Sinon, je dis à Liz qu'il dort avec un pyjama à rayures. Et qu'il ronfle. Et qu'il parle en dormant. En tout cas, je l'entends marmonner quelque chose quand j'entre dans sa chambre. On dirait qu'il discute avec une fille. Et d'après ce que Jon bafouille, elle est amoureuse de lui parce qu'il est dessinateur de

BD. Aucun doute possible : Jon rêve.

Il lui dit que leur amour est impossible, et bla, bla, bla, parce qu'il est déjà fiancé... N'importe quoi. Mais oh ! Stop ! C'est moi le héros du jour ! Le héros tout court d'ailleurs.

Essayons une approche en douceur. J'évite la canette de soda qui traîne sur le sol (ça aussi je pourrais le dire à Liz : Jon ne fait pas le ménage), et je grimpe sur le lit.

— Youhou, Jon, il faut se lever, c'est le grand jour...

Aucune réaction. Ah là là, moi qui aime tant dormir, je déteste réveiller les autres. C'est un peu cruel. Enfin... Non ! Si c'est Jon qu'il faut réveiller, j'adore ça. Et je sais exactement comment m'y prendre. Aux grands mous les grands réveils.

Il se trouve qu'exceptionnellement, en ce jour historique que représente mon anniversaire, j'ai gardé et pris avec moi mon nouveau réveil. C'est le trois mille six cent cinquantième que Jon m'achète. J'ai jeté tous les autres par la fenêtre. Ou à la poubelle. Ou sur Odie. Bref ! Je l'approche tout doucement de son oreille, j'enclenche l'alarme et... *DRIIIIIIIIIIIIIINNNNNG !*

Réaction immédiate. Jon hurle, saute en l'air et s'agrippe

au plafond en frissonnant. Ça doit faire un moment qu'il ne s'est pas coupé les ongles pour réussir à les planter comme ça. On dirait… un chat. Bon, il est loin d'avoir ma grâce féline mais au moins maintenant, il est réveillé.

— Pourquoi est-ce que tu as fait ça, Garfield ? me demande-t-il. C'est le jour des poubelles ?

— Non, non.

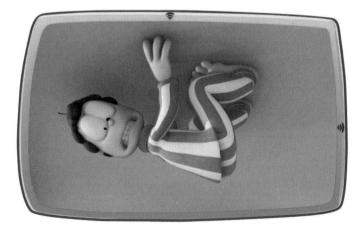

— C'est ma fête ? On passe à l'heure d'été ?

— Même pas.

Je me demande parfois s'il ne fait pas un peu exprès d'être aussi tête en l'air. Je lui mets donc sous le nez le calendrier à mon effigie que je lui ai offert à Noël. Avec la date du 19 juin entourée en orange.

— Oh non, s'écrie-t-il. C'est aujourd'hui ?

Ça me paraît clair, non ? Je crois que j'ai bien fait de le réveiller. Sinon, je pouvais leur dire adieu, à mes lasagnes d'anniversaire.

— Je suis désolé, désolé, désolé, lance Jon en courant dans tous les sens.

Il est désolé ? Et moi alors ?! Je vais devoir attendre…

— Ce sera prêt en moins de deux, Garfield.

J'y compte bien…

# CHAPITRE 2

# JE ME SUIS FAIT AVOIR

J'aime bien la guirlande que Jon a accrochée dans le salon, sur la cheminée. Il l'a fabriquée avec des photos de moi. On devrait l'y laisser toute l'année. Ça donne du charme à la pièce.

— Vas-y, Garfield, crie Jon depuis la cuisine. Installe-toi ! C'est bientôt prêt.

Il vaudrait mieux pour toi, Jon. Je commence à m'impatienter

 17

sérieusement. En attendant, j'ai mis mon chapeau pointu jaune à pois rouges sur une oreille (le premier qui dit que j'ai la grosse tête, je lui fais manger mon chapeau) et ma serviette blanche à carreaux bleus autour du cou.

Et puisque c'est mon anniversaire et que, le jour de son anniversaire, on peut faire ce qu'on veut, j'en profite pour donner un petit coup de sifflet dans la

truffe d'Odie. Oui, je sais : j'embête Odie tous les autres jours de l'année aussi.

Jon, lui, s'active.

— Tu vas te régaler, je l'entends s'exclamer depuis la cuisine.

Arrête de parler, Jon. Il est temps de passer à table.

— Et voilààààà ! Les lasagnes d'anniversaire de Monsieur.

J'ai failli attendre.

Je jette les couverts et engloutis la première part avec les pattes. Et avec la bougie. Que je recrache juste après. C'est pour Odie. Il adore les attraper au vol et les reposer sur le plat au fur et à mesure que je le vide.

— Oh c'est génial, génial !

s'extasie Jon qui a sorti sa caméra pour l'occasion.

Que j'aime entendre Jon s'extasier sur moi ! Même si c'est tout à fait normal.

— Je vais pouvoir ajouter ça à mon film « Garfield et les lasagnes », dit-il à Odie.

Dévorer mes lasagnes d'anniversaire me demande beaucoup d'énergie, et je ne l'écoute qu'à moitié.

Mais… Minute ! C'est pas possible… Le plat est déjà vide ??! Je n'ai mangé que neuf parts de lasagnes, pourtant. Recomptons les bougies.

1, 2, 3, 4, 5, 6, 7, 8… 9… Et… C'est tout ? Je me suis fait avoir ! J'ai dix ans aujourd'hui ! Pas neuf. Oh mais ça ne va pas se passer comme ça. Je m'essuie la bouche, j'enlève ma serviette : je suis prêt à demander un recomptage officiel.

En montant les escaliers pour rejoindre le bureau, j'entends Jon parler de moi à Odie…

— Voilà, dit-il. Avec cette séquence, ça me fait plus de six heures de film où l'on voit

Garfield manger des lasagnes…
dit-il. En même temps, il faut
dire qu'il ne fait pas grand-chose
d'autre.

Ah c'est comme ça ! On se
moque de moi en douce, maintenant. Rira bien qui rira le
dernier. Je me plante devant
l'entrée du bureau de Jon et me
racle la gorge pour signaler ma
présence.

— Tu n'as pas l'air content, me dit Jon.

Oh que non !

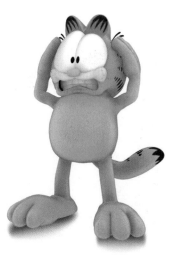

# CHAPITRE 3

# JE RÊVE
# OU QUOI ?

Je m'explique :

— C'est pour une réclama-tion. Vérification des comptes.

Jon se racle la gorge à son tour, mais d'inquiétude.

— Eh bien quoi ? s'exclame-t-il en descendant les escaliers. J'ai fait comme à chaque fois ! Une part de lasagnes par année. J'en aurais oublié une ?

À ton avis, Jon. Je me plaindrais

s'il y en avait une en trop ? Il se décide ENFIN à recompter…

— J'en ai oublié une ! s'écrie-t-il en réalisant sa monumentale erreur.

Puis il se prend la tête entre les mains et commence à paniquer sérieusement :

— Et je n'ai plus d'ingrédients

pour préparer une autre part de lasagnes...

De mieux en mieux. Et dire que ça devait être le plus beau jour de ma vie.

— Euh, je reviens tout de suite ! me lance Jon en s'éclipsant. Je file à l'épicerie.

À la bonne heure.

En attendant, je pense que je vais profiter de mon temps libre pour faire quelque chose de constructif. Une petite sieste par exemple ! Chaque seconde est précieuse dans la vie. Et toute cette histoire m'a épuisé. Je risque de tomber dans les pommes. Autant dormir un peu.

Bâiiiilllle… RRRRR… ZZZZ…

Euh, les amis, je crois bien que je rêve déjà. Ou alors il faut qu'on m'explique pourquoi je vois soudain une cocotte-minute volante quitter la Terre comme une fusée. Elle passe près du soleil, puis entre dans un four géant qui se trouve juste derrière. Il est vraiment bizarre ce rêve : je ne suis même pas dedans !

Mais qu'est-ce qu'il peut bien y avoir dans un four géant qui flotte dans l'espace avec un tourne-broche en guise de moteur ? Eh bien la preuve que c'est bien moi qui rêve, puisqu'il est rempli de lasagnes. Miam, miam.

Oh ! J'ai rêvé trop vite… Les parts de lasagnes qui sont dans ce four de l'espace sont douées de… parole. Des lasagnes qui parlent ? On aura tout vu ! Heureusement que ce n'est qu'un rêve…

Il y en a une qui est assise sur un grand tabouret. Ça doit être le chef. Pour l'instant, il a le dos tourné.

— Plus que vingt-quatre zord-nicks pour atteindre la planète à envahir, votre altesse fromagère, lui dit une part de lasagnes en se mettant au garde-à-vous.

— Parfait, répond la lasagne en chef avec l'accent italien et une drôle de voix. On dirait qu'elle a un chat dans la gorge.

Est-ce qu'on a retrouvé l'agent Ricotta ?

— Le voici, ô fierté des sauces béchamel, lui répond la première lasagne.

— Agent Ricotta j'ai une mission de la plus haute importance pour vous, dit le chef des lasagnes en se retournant.

Je le vois bien maintenant. Non seulement il a un chat dans la gorge mais en plus, il a des moustaches. Comme moi. Est-ce que c'est un rêve prémonitoire ? Je vais me réincarner en lasagne ? Ce n'est plus un rêve alors : c'est un cauchemar ! Quoique... Si c'est moi le chef...

— Pourrais-je commander

l'invasion de la planète Terre, votre grandeur nappée de fromage râpé ? demande l'agent Ricotta.

L'invasion de la Terre ? Mais ce sont des lasagnes extra-terrestres ou quoi ?

— Non, répond le chef. La situation est trop alarmante…

Il est vraiment TRÈS bizarre ce rêve. Voilà où ça mène de faire une sieste le ventre à moitié vide.

— Regardez plutôt, poursuit
le chef…

# CHAPITRE 4

# IL S'EST REGARDÉ LUI ?

Est-ce que quelqu'un pourrait me réveiller ? Oui ? Non ? Bon ben je retourne sur la drôle de planète Foor alors.

Le chef des lasagnes vient d'appuyer sur un bouton. Un écran géant remplace aussitôt la grande baie vitrée, avec vue sur le soleil, devant laquelle il se trouve. Toutes les lasagnes sont intriguées. Ricotta, en tant qu'agent d'élite, est le plus attentif.

— Nos scanners ont pris des milliers d'images de cette planète, explique le chef. Nous les avons soigneusement analysées et, à première vue, rien ne peut nous empêcher de l'envahir, ni de faire de ses habitants nos serviteurs. Excepté…

Eh mais c'est MOI sur l'écran géant ! Il était temps. C'est quand même MON rêve, nom d'une râpe à fromage.

— … un tout petit détail.

Apparemment c'est moi, le petit détail. Moi sur le point d'engloutir mes lasagnes d'anniversaire, pour être plus précis.

— Quelle horreur ! panique l'agent Ricotta.

Eh dis donc ! Il s'est regardé lui ? Avec ses gros yeux globuleux !

— Mais, quand est-ce que c'est arrivé ? demande-t-il, un peu agité.

— Ça, c'est un mystère, répond le chef. Nous avons vérifié, personne ne manque à l'appel. C'est la première fois dans l'histoire

de la planète Foor que nous trouvons des êtres qui nous ressemblent dans l'univers.

— Oh ! Attendez ! s'interpose l'agent Ricotta face à l'image d'une part de lasagne entre mes griffes. Vous êtes sûr que celui-là n'est pas des nôtres ? Il ressemble pourtant comme deux gouttes de sauce tomate à mon oncle Mozzi…

Si c'était ton oncle Mozzi, sache qu'il a été très courageux…

— Je ne le pense pas, agent Ricotta. Mais nous devons en savoir plus avant l'invasion. Partez en éclaireur sur cette planète. L'avenir de nos semblables est peut-être entre vos couches de pâtes. À vous de retrouver cette… chose orange.

Je rêve ou il m'a traité de « chose » ?

Ah ben oui, c'est vrai, je rêve.

Enfin quand même ! Ça devient vraiment insultant. Il faut vite que je me réveille. Ça ne devrait plus tarder. Le chef des lasagnes vient de descendre de son tabouret. Il confie à l'agent

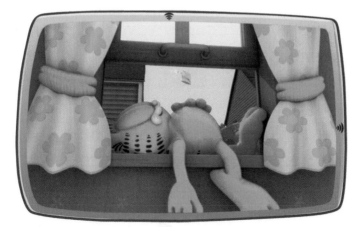

Ricotta un étrange appareil en forme de rasoir électrique.

— Cet appareil mesure la puissance du cerveau de n'importe quelle créature, explique le chef.

S'il tombait sur Odie, il ne serait pas déçu du voyage à mon avis.

— À vos ordres, votre majesté bolognaise.

L'agent Ricotta rejoint aussitôt un tout petit vaisseau qui

ressemble à un hélicoptère. Sauf qu'il n'a pas d'hélices mais deux embouts de batteur électrique à l'arrière pour se propulser dans l'espace. L'engin traverse la voie lactée en quelques minutes seulement et se dirige à toute vitesse vers la Terre. Pour finir par atterrir… dans mon jardin !

# CHAPITRE 5

## 36 CHANDELLES

*Chtong !*

— Hmm… C'est pas Jon que j'entends ?

Eh ! Je parle à haute voix ?! Je suis donc réveillé. Ouf ! Il faut vite que je raconte la fin de ce rêve à Odie. Il était dedans aussi. Il jouait dans le jardin quand l'agent Ricotta a atterri avec son batteur électrique volant. Inutile de chercher à comprendre ce qu'il faisait avec la peau d'un ballon déchiré sur la tête. C'était un rêve après tout. Et il ne le saurait pas lui-même.

Là où ça devient drôle, c'est que l'agent Ricotta, caché derrière une fleur, lui mesurait le cerveau. C'est peut-être mon propre rire qui m'a réveillé du coup : l'appareil indiquait carrément zéro. Trop drôle ! Et

pourtant si réaliste. Brrr. Ça fait presque froid dans le dos, en fait, des rêves aussi réalistes.

Enfin ! J'espère que Jon est rentré et qu'il m'a préparé ma lasagne d'anniversaire manquante. Voyons voir… Il n'est pas dans la cuisine… Tout ce qu'il a sorti des placards en paniquant tout à l'heure traîne encore par terre… C'est du joli. Il est peut-être dans le salon. À moins que… Cool ! La voilààààà !

Dans une assiette une magnifique part de lasagnes me tend les bras. Je ne l'avais pas vue tout de suite. Quelle drôle d'idée a eue Jon, de la poser sur l'égouttoir à vaisselle ! J'imagine qu'il est parti se recoucher. Allez ! Il est trop tard pour faire la fine bouche. Toi, tu peux dire adieu à tes semblables, eh, eh, eh.

Mais à la seconde où j'approche la part de lasagnes toute tremblante de ma gueule grande ouverte (c'est bizarre d'ailleurs, une part de lasagnes qui tremble), j'entends une petite voix qui ressemble à celle de l'agent Ricotta :

— Arrêtez ! S'il vous plaît ! Ne me mangez pas !

Hein ? Je croyais que le rêve était fini… C'est le cauchemar qui commence !

*Aaaaaah !*

*Crac.*

*Chtong.*
*Paf.*
*Ouille…*
1, 2, 3, 4, 5…

Ah ben là je n'en vois ni 9, ni 10, des chandelles. J'en vois 36. Mais qu'est-ce qu'il s'est passé ? Comment je me suis retrouvé avec le fer à repasser sur le crâne ? Ce n'est quand même pas…

Mais si ! C'est bien cette part

de lasagnes. C'est l'agent Ricotta qui m'a tordu le pouce et secoué dans tous les sens avant de me faire voler à travers la cuisine. Quand j'ai dit que la lasagne me tendait les bras dans son assiette, je ne pensais pas qu'elle en avait, des bras…

Oh mais ça ne va pas se passer comme ça ! Je déteste les parts de lasagnes qui parlent et qui font des arts martiaux. Voyons voir… J'ai l'impression que l'agent Ricotta est parti par la chatière.

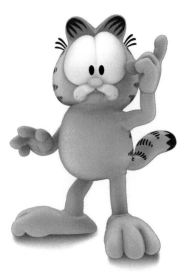

# CHAPITRE 6

## JE DEVIENS FOU

Vous vous rendez compte ? À quoi j'en suis réduit ? À me mettre à quatre pattes comme Odie pour vérifier que je ne suis pas encore en train de rêver.

Quand on parle du chien fou : j'ai à peine passé la tête par la chatière que je le vois près de la clôture au fond du jardin. Eh mais... Il me fonce dessus ! Stooooop ! Trop tard...

Me revoilà à moitié assommé sur le carrelage de la cuisine. Il faut vite que je rassemble mes esprits.

— Odie ! Tu n'aurais pas vu une part de lasagnes passer en courant ? je lui demande en ayant parfaitement conscience de la stupidité de ma question.

Odie réfléchit. Au moins en apparence. Il lève les yeux au ciel comme si la réponse était

dans les airs. Mais il finit quand même par faire non de la tête. Il n'est peut-être pas si bête que ça, finalement. Ou alors, l'agent Ricotta s'est trompé de bouton en mesurant l'intelligence d'Odie et a malencontreusement inversé nos deux cerveaux.

— Mais si enfin ! j'insiste alors que j'ai du mal à y croire moi-même. Elle a des pattes, elle court et elle parle aussi !

C'est le monde à l'envers. Je raconte n'importe quoi et Odie me regarde avec un air embarrassé. D'habitude c'est plutôt l'inverse. Sauf qu'Odie ne parle pas. Il bave et il aboie. Mais ce que je suis en train de lui raconter est tellement insensé que ça revient à peu près au même. J'essaie quand même de le convaincre. Ou de me convaincre moi-même. Je ne sais plus trop.

— Elle m'a même demandé de ne pas la manger. Elle avait une bouche. Et des yeux ! Je les ai vus et… Tu me crois au moins ?

Mais Odie fait à nouveau non de la tête. Il tourne les talons et

repart dans le jardin en flairant à droite, à gauche. Comme s'il cherchait quelque chose. Il a raison d'être sceptique : je ne me crois définitivement pas non plus.

Est-ce que je suis en train de devenir fou ?

Toutes ces années... Sans savoir que les lasagnes parlaient. Ni qu'elles préparaient l'invasion de la Terre. Sans rien me dire, à moi, qui les aime tellement. Finalement, c'est logique. Pour elles, je suis l'ennemi juré. Je suis le chat public n°1. Le chat dont il faut botter les fesses.

Et s'il n'y avait pas que les lasagnes ? Si les raviolis aussi étaient vivants ? Si les cannellonis commençaient à m'attaquer ? Sans oublier les pizzas ! Si les pizzas s'y mettaient aussi, ce serait pire que la fin du monde : je n'aurais plus rien à manger et je mourrais de faim !

Qu'est-ce que je vais devenir ? Je ne peux pas rester terré comme ça éternellement, comme n'importe quel autre chat, dans un panier entre la bibliothèque et la cheminée.

Tiens. Voilà déjà Odie qui revient du jar…

*Crash !*

*Bing !*

*Badaboum !*

… din.

# TANT PIS POUR ODIE !

Il faudra que quelqu'un m'explique pourquoi je passe ma journée d'anniversaire à recevoir des trucs sur la tête. Un fer à repasser, Odie, et maintenant la poubelle.

Bref ! J'ai l'impression qu'Odie veut me dire quelque chose. Il est bien agité, je trouve.

— Waf, waf, waf.

— Quoi ? Tu as un aphte ?

— Grmpf…

Ça ne doit pas être ça.

— Waf !

— Ah non, tu as pondu un œuf !

À voir la tête d'Odie, ça ne doit pas être ça non plus. Il faut qu'il se calme là ! Je ne comprends rien à ce qu'il m'aboie. C'est dingue, non ? Odie est moins compréhensible qu'une part de lasagnes !

Finalement, Odie me pousse vers la fenêtre ouverte. Il n'est peut-être pas très malin, mais il est têtu.

Qu'est-ce qu'il se passe ? Il y a quelque chose dans le jardin ? Quelque chose qui lui fait peur ? Le ciel, qui une seconde plus tôt était tout bleu, commence à s'assombrir. Et j'entends un grand bruit. Un grondement assourdissant...

Cette fois, les amis, l'invasion a commencé. Le bruit dans le jardin, c'est la cocotte-minute volante de mon rêve qui atterrit. Vu d'au-dessous, son réacteur fait tellement de flammes qu'on croirait un deuxième soleil. Le ciel ne s'est pas vraiment assombri : c'est le réacteur du vaisseau qui nous a éblouis, moi et Odie.

À mon avis, les tomates sont cuites. En se posant, la cocotte laisse échapper un énorme nuage de vapeur. En vérité, elle n'est pas si grande que ça, mais elle reste drôlement impressionnante. Surtout maintenant qu'en sortent dix lasagnes en rangs serrés, armées d'une fourchette et accompagnées de leur chef, celui qui a une moustache dans la gorge et un chat. Euh… plutôt l'inverse. Ça y est : je panique !

— Une deux, une deux, une deux, répètent en cadence les soldats.

De toute évidence, les lasagnes ne sont pas venues pour fêter mon anniversaire. Plutôt pour m'empêcher de fêter tous mes anniversaires à venir, en me faisant taire à jamais. Je me tourne vers Odie.

— Odie, prends bien soin de toi ! Moi, je vais me cacher.

Aussitôt dit, aussitôt fait : je fonce m'enfermer à double tour dans le cagibi, entre la tondeuse à gazon et les planches de surf dont Jon ne s'est jamais servi. Sauf pour draguer les filles. Sans succès bien sûr. Il était moins une : les lasagnes de la planète Foor déboulent dans la cuisine. L'espace d'une seconde, je culpabilise pour Odie. Une seconde, pas plus.

— Saisissez-vous de cette créature, crie leur chef.

Je glisse un œil par le trou de la serrure et les vois courir après Odie, qui prouve une nouvelle fois son incroyable idiotie puisqu'au lieu de se sauver par la chatière, il tourne en rond dans la cuisine.

Évidemment, les soldats lasagnes finissent par l'attraper. Et en moins de temps qu'il ne m'en faudrait pour engloutir l'un d'eux si j'avais un minimum de courage, Odie est ligoté et bâillonné. Heureusement pour la survie de mon espèce, je n'ai aucun courage : tant pis pour Odie !

# CHAPITRE 8

## MANGER OU ÊTRE MANGÉ

— Bon travail, Ricotta, dit le chef à l'agent spécial qui m'a mis KO tout à l'heure. Nous devons maintenant neutraliser cette créature orange.

Je crois qu'on parle de moi. Pfiou ! J'ai plutôt bien fait de me cacher.

— Vous dites qu'elle sera facile à vaincre ? demande le chef à l'agent Ricotta, toujours à propos de moi.

— Très facile, votre grandeur... Aussitôt que nous l'aurons trouvée. Elle doit être quelque part...

Cherchez autant que vous voulez : je ne sortirai pas d'ici ! Sauf si l'invasion prend de l'ampleur et que Luigi décide d'offrir des pizzas gratuites pour liquider son stock avant la fin du monde...

Les lasagnes fouinent partout dans la cuisine. Elles ont l'air super organisées. Mais pas très malignes finalement. Toujours à travers le trou de la serrure, je les vois me chercher, peut-être pas n'importe comment, mais vraiment n'importe où !

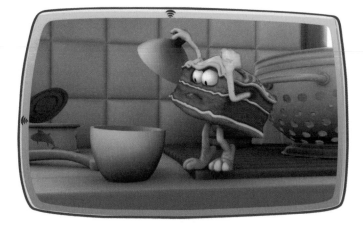

Il y en a une, par exemple, qui regarde si je ne suis pas dans le coquetier spécial micro-ondes de Jon. Celui qui fait cui-cui quand l'œuf est bien cuit.

Jon n'a jamais réussi à manger un seul œuf à la coque en entier. Le bruit m'énerve tellement que je le fais discrètement tomber de la table à chaque fois. L'œuf se casse mais jamais le coquetier qui, malheureusement, est en plastique. Si je sors vivant de cette aventure, il faudra que je lui règle son compte à ce coquetier.

Quoi qu'il en soit, je ne vois pas bien comment je pourrais m'y cacher. Même après un régime. Et même si ce coquetier fait cui-cui.

Je ne vois pas comment je pourrais me dissimuler dans une boîte de thon déjà ouverte, dans une casserole ou dans une passoire. C'est-à-dire dans tous les endroits complètement incongrus où sont en train de me traquer ces lasagnes. Elles viennent peut-être de l'espace, mais elles n'ont pas inventé la pâte à pizza.

L'espace d'un instant, les lasagnes arrêtent de s'activer. Je reconnais la voix du chef. Il a l'air de parler de moi.

— On finira bien par la trouver cette chose… et on la détruira !

Gloups !

Mais qu'est-ce que j'ai fait aux lasagnes ? Hein ? À part en

manger quelques milliers, je veux dire... Ce dont elles ne s'étaient jamais plaintes jusqu'à maintenant. Il faudrait savoir ce qu'elles veulent ! Manger ou être mangé, telle est la question. Ah là là, je donnerais mon royaume pour une part de lasagnes immobile et muette.

Au lieu de ça, je suis coincé dans le cagibi. Je ne peux même pas y faire une sieste en attendant que ça se passe ! Entre les croquettes d'Odie et les outils de jardin de Jon, ça sent un peu mauvais et c'est inconfortable au possible. C'est complètement idiot ! Je ne peux pas rester caché ici indéfiniment. Il faut que je sorte ! Je dois sortir ! Je peux le faire !

Oh non j'ai trop peur…

# CHAPITRE 9

# C'EST À MOI QU'ON EN VEUT

Tiens, il n'y a plus aucun bruit dans la cuisine… On dirait qu'elles ont fini de la fouiller. Si je colle mon oreille à la porte, j'ai l'impression de les entendre dans le salon et dans les escaliers. Ainsi que la voix de l'agent Ricotta, qui mène la chasse :

— Aucun signe de la chose orange ici, dit-il. Inspection de tous les placards.

Si on jouait à chaud/froid, elles auraient déjà atteint le pôle Nord. Allez ! Je sors. Avec un peu de chance, je trouverais un truc pas trop mauvais à manger et le temps d'attraper un ou deux coussins et du déodorant longue durée, hop, ni vu, ni connu, je pourrais retourner me cacher.

Nooon. Il faut vraiment que je sorte. Il fait tout noir ici en plus. Je tourne tout doucement la clef, j'ouvre la porte et passe la tête…

— Messieursdames les lasagnes, je chuchote en priant pour ne pas obtenir de réponse.

Quel chantier dans la cuisine !

Je n'ose même pas imaginer l'état du salon… Il y a des casseroles, des poêles à frire, des tasses à café partout et… Odie ! Je l'avais complètement oublié. Je ne peux pas le laisser dans cet état : ce serait inhumain ! Ce qui m'autorise à le laisser, puisque je suis un chat. Mais en cas d'assaut surprise de ces maudites lasagnes, je pourrais avoir besoin de lui comme bouclier canin.

Je me précipite pour le détacher et lui ôter son bâillon. Bon, j'aurais mieux fait de m'abstenir parce qu'il en profite pour me sauter dessus et me remercier à sa manière. C'est-à-dire d'un de ces gros coups de langue dont il a le secret. Mais vu les circonstances, je ne peux pas trop lui en vouloir.

J'entends alors des cris, des hurlements même, qui viennent du bureau de Jon. Les lasagnes ont peut-être pris peur en voyant une photo de mon très cher maître ? Au fait, je ne sais pas si ces lasagnes de l'espace sont des filles ou des garçons. Mais si ce sont des filles, leur réaction est

plutôt normale. Jon effraie toutes les filles. Sauf Liz. Et encore…

J'en aurais le cœur net.

— Mon brave Odie, je préfé-
rerais qu'ils en aient après toi,
mais c'est à moi qu'ils en veulent. Ne bouge pas : je vais m'en
occuper fissa…

# CHAPITRE 10

# BON DÉBARRAS !

Je quitte la cuisine d'un pas décidé, puis monte tout doucement les escaliers. Arrivé en haut, je me glisse discrètement dans le coin juste avant l'entrée du bureau, pour écouter leur conversation. Si on peut appeler ça une conversation : elles râlent, elles gémissent, elles pleurent. Au milieu de ce tapage, je parviens à distinguer la voix du chef.

— C'est un monstre ! Vous avez vu ça ?

Ils sont durs avec Jon là, quand même.

— Regardez ce qu'il fait à nos semblables, ajoute le chef.

En me penchant par la porte entrebâillée, je comprends mieux leurs réactions affolées. Ce ne sont pas les photos de Jon qui font peur aux lasagnes de l'espace. Non, c'est le film que Jon a fait de moi en train de manger des lasagnes ! Et le film tourne en boucle sur son ordinateur. Il est parti si précipitamment tout à l'heure qu'il a oublié de l'éteindre. Pour une fois, c'est plutôt une bonne chose qu'il soit si étourdi.

En voyant les images, je reconnais que, si je ne m'aimais pas autant, je me ferais presque peur à moi-même. Ça va être du gâteau…

— Vous m'avez pourtant affirmé qu'il serait facile à vaincre, s'énerve le chef. Alors ?

— Eh bien c'est ce que je croyais, lui répond l'agent Ricotta, mais…

Je ne lui laisse pas le temps de

finir sa phrase et entre dans le bureau.

— Les gars, il est temps d'en finir, je leur dis de ma plus grosse voix, celle que j'arrive à faire quand je montre bien les dents. En plus, Liz m'a fait un détartrage il n'y a pas longtemps. Du coup elles brillent vachement. Mais pardonnez-moi, j'aime tellement parler de moi que je ne sais plus ce que je raconte.

— Sauve qui peut, hurle l'agent Ricotta.

— Fuyons, renchérissent en chœur tous les soldats lasagnes.

Quels trouillards ! Ou quelles trouillardes. Ou les deux. Peu importe finalement ! Mais après tout le temps qu'elles ont passé à me chercher, je suis surpris de les voir détaler comme des lapins, maintenant qu'elles m'ont trouvé. Si j'avais su, je serais sorti plus tôt de ma cachette. Je m'attendais à un peu plus de résistance.

Au lieu de ça, j'entends déjà leur vaisseau décoller du jardin et quitter la terre. Bon débarras !

Mais je me demande ce qui leur a pris et d'où elles sont

vraiment sorties, ces lasagnes extraterrestres…

Dans le salon, je retrouve Odie. Lui n'a pas l'air plus perturbé que ça. Les mauvaises langues qui reprochent aux chats d'avoir la mémoire courte n'ont probablement jamais entendu parler d'Odie. Ce chien est la preuve vivante du contraire !

— Toi, t'as même pas remarqué que j'avais sauvé la planète de l'invasion des lasagnes de l'espace, je lui dis d'un ton moitié fier de moi, moitié songeur. Parce que cela dit, elles avaient l'air délicieuses ces lasagnes.

— Garfield, c'est moi, crie Jon, qui vient de rentrer.

Il déboule dans le salon, tout essoufflé.

— Je ne voulais pas te faire attendre… du coup, je suis allé chez Vito et je t'ai acheté la part de lasagnes qui manquait.

Oh mais je l'ai sentie, Jon ! Avec son parfum alléchant. Mais non, NON ! Elle va me parler.

M'attaquer ! M'enlever ! C'est fini, plus de lasagnes ! Pendant au moins... une heure ? Le temps d'une petite sieste bien méritée...

**FIN**

# ENCORE UNE ENVIE DE LASAGNES ?

# TOURNE VITE LA PAGE POUR RETROUVER GARFIELD !

# GARFIELD
## REVIENT BIENTÔT DANS
## UNE NOUVELLE AVENTURE :

# ODIE EST
# AMOUREUX

Nom d'une lasagne trop cuite.
ce chien est vraiment… idiot :
il est tombé amoureux d'une
brosse ! Oui, vous avez bien
entendu, d'une brosse pour
chien ! En attendant, il
faut que je la retrouve
sinon Odie va devenir
fou. Et ma vie est déjà
suffisamment compliquée
comme ça…

POUR CONNAÎTRE LA DATE DE PARUTION DE CE TOME,
INSCRIS-TOI À LA NEWSLETTER DU SITE :

## WWW.BIBLIOTHEQUEROSE.COM

# TU AS DÉVORÉ TOUTES LES AVENTURES DE **GARFIELD** ?

## L'ATTAQUE DES LASAGNES

## ODIE EST AMOUREUX

## C'EST LE MONDE À L'ENVERS !

## PIZZAS EN DANGER !

# UI VEUT LA PEAU DE POOKY ?

# TOUT EST BON DANS LE DINDON !

# LA CHASSE EST OUVERTE !

# UN ESPION SUR LE DOS

# ATTENTION, CHAT FANTÔME !

# TABLE

Hachette s'engage pour
l'environnement en réduisant
l'empreinte carbone de ses livres.
Celle de cet exemplaire est de :
400 g éq. $CO_2$
Rendez-vous sur
www.hachette-durable.fr

PAPIER À BASE DE
FIBRES CERTIFIÉES

Imprimé en Roumanie par G. Canale & C. S.A.
Dépôt légal : mars 2010
Achevé d'imprimer : mars 2013
20.20.1992.5 /09 – ISBN 978-2-01-201992-8
Loi n° 49956 du 16 juillet 1949
sur les publications destinées à la jeunesse